まほろばシリーズ⑪

道徳《どうとく》をもとに日本《にほん》の近代化《きんだいか》を進《すす》めた 渋《しぶ》沢《さわ》栄《えい》一《いち》

明治 16 年、43 歳の栄一（渋沢史料館）

石《いし》田《だ》 學《まなぶ》

まえがき

長《なが》く一万円札《いちまんえんさつ》の「顔《かお》」をつとめた福沢諭吉《ふくざわゆきち》は、令和《れいわ》六年《ねん》（二〇二四）、ついにその座《ざ》をあけ渡《わた》すことになりました。その人物《じんぶつ》とは、渋沢栄一《しぶさわえいいち》、本書《ほんしょ》の主人公《しゅじんこう》です。

渋沢栄一《しぶさわえいいち》は、日本初《にほんはつ》の株式会社《かぶしきがいしゃ》をつくり、五百の企業《きぎょう》を設立《せつりつ》しました。東京《とうきょう》ガス、清水建設《しみずけんせつ》、ＪＲ《ジェイアール》などは、みなさんも目《め》や耳《みみ》にしたことがあるでしょう。これらは渋沢栄一《しぶさわえいいち》が、設立《せつりつ》に関《かか》わったもので、今《いま》でもその多《おお》くが存続《そんぞく》しています。

渋沢栄一《しぶさわえいいち》の功績《こうせき》はこれだけにとどまりません。一橋大学《ひとつばしだいがく》、日本女子大学《にほんじょしだいがく》、二松學舍大学《にしょうがくしゃだいがく》など六十を超《こ》える学校《がっこう》や、聖路加国際病院《せいろかこくさいびょういん》、日本赤十字社《にほんせきじゅうじしゃ》など六百を超《こ》える社会事業団体《しゃかいじぎょうだんたい》の設立《せつりつ》にも関《かか》わっています。こうした功績《こうせき》を称《たた》え、「日本近代化《にほんきんだいか》の父《ちち》」と呼《よ》ばれています。

栄一《えいいち》は「論語《ろんご》と算盤《そろばん》」（道徳《どうとく》を根本《こんぽん》に、経済《けいざい》をつくっていくこと）を信条《しんじょう》に日本《にほん》の近代化《きんだいか》を進《すす》めてきました。そこには、若《わか》い頃《ころ》に刻《きざ》まれた身分制度《みぶんせいど》による苦《にが》い記憶《きおく》と、母《はは》の願《ねが》いが強《つよ》く残《のこ》っていたからです。

逆境《ぎゃっきょう》の中《なか》でも道徳《どうとく》を貫《つらぬ》き行動《こうどう》し続《つづ》けていった渋沢栄一《しぶさわえいいち》の生涯《しょうがい》を伝《つた》えることで、読者《どくしゃ》のみなさんの強《つよ》い心《こころ》の支《ささ》えになってくれることを願《ねが》ってやみません。

もくじ

1. 母《はは》・ゑ《え》いの教《おし》え

十八世紀《せいき》後半《こうはん》、イギリスから産業革命《さんぎょうかくめい》(1)が起《お》こりました。その頃《ころ》の日本《にほん》は江戸時代《えどじだい》で、徳川幕府《とくがわばくふ》による全国支配《ぜんこくしはい》が続《つづ》いていました。

渋沢栄一《しぶさわえいいち》は、天保《てんぽう》十一年《ねん》（一八四〇）、武蔵国榛沢郡血洗島《むさしのくにはんざわぐんちあらいじま》(2)に、父《ちち》・市郎右衛門《いちろうえもん》、母《はは》・ゑ《え》いの長男《ちょうなん》として生《う》まれました。

渋沢家《しぶさわけ》は農家《のうか》でしたが、布《ぬの》の染料《せんりょう》となる藍玉《あいだま》の販売《はんばい》、養蚕《ようさん》、また質屋《しちや》(3)も営《いとな》む豪農《ごうのう》(4)で、名字《みょうじ》と帯刀《たいとう》(5)が許《ゆる》されていました。栄一《えいいち》は勤勉《きんべん》な父《ちち》の影響《えいきょう》を受《う》け、好《この》んで学問《がくもん》を励《はげ》むようになり、五歳《さい》の頃《ころ》には父《ちち》から漢文《かんぶん》を学《まな》び、四書五経《ししょごきょう》(6)のうち『大学《だいがく》』『中庸《ちゅうよう》』『論語《ろんご》』を読破《どくは》しました。七歳《さい》になると十歳年上《さいとしうえ》である従兄《いとこ》の

(1) 産業革命
急激な技術開発によって産業構造と社会そのものが大きく変化した

(2) 血洗島
現在の埼玉県深谷市

(3) 質屋
衣類などを担保に、お金を貸していた

(4) 豪農
裕福な農家

(5) 名字と帯刀
名字を名乗り、刀を所持すること。武士の特権であったが、とくに名主など有力者には許された

(6) 四書五経
中国から起こった儒教で、とくに重要とされる書物と経典

(7) 行商
店舗ではなく客がいるところへ訪れて商売をすること
(8) 玄人
専門能力がすぐれている人、プロ
(9) 目利き
善し悪しを見分ける

栄一の生家「中ノ家」(渋沢史料館)

尾高惇忠《おだかじゅんちゅう》の私塾《しじゅく》に、二歳上《さいうえ》の従兄《いとこ》である渋沢喜作《しぶさわきさく》と通《かよ》い、『小《しょう》学《がく》』『蒙求《もうきゅう》』『日本外史《にほんがいし》』などを学《まな》びました。

また栄一《えいいち》は、幼《おさな》いころから商売《しょうばい》の才能《さいのう》を発揮《はっき》していました。十四歳《さい》の時《とき》、父《ちち》の代理《だいり》で、村々《むらむら》を藍玉《あいだま》の行商《ぎょうしょう》(7)にまわった栄一《えいいち》は、周囲《しゅうい》の大人《おとな》から「なんだ、子《こ》どもじゃないか」と馬鹿《ばか》にされました。しかし、いざ藍《あい》の葉《は》の買《か》いつけになると、「この藍《あい》の肥料《ひりょう》は油粕《あぶらかす》ではない」「乾燥《かんそう》が不十分《ふじゅうぶん》だ」「茎《くき》の切《き》り方《かた》が悪《わる》い」などと玄人《くろうと》(8)顔負《かおま》けの目《め》利《き》き(9)をして周囲《しゅうい》を驚《おどろ》かせました。それまで何度《なんど》も、父《ちち》といっしょに藍玉《あいだま》の原料《げんりょう》となる藍《あい》の葉《は》の買《か》いつけに行《い》っていたので、一目《ひとめ》で藍《あい》の葉《は》の善《よ》し悪《あ》しがわかるようになっていたのです。

そんな幼少時代《ようしょうじだい》、栄一《えいいち》に大《おお》きな影響《えいきょう》を与《あた》えたのが、母《はは》のゑ《え》いです。母《はは》はとても優《やさ》しく、慈悲深《じひぶか》い女性《じょせい》でしたが、厳《きび》しい一《いち》面《めん》もありました。

渋沢家《しぶさわけ》と尾高家《おだかけ》の間《あいだ》にある加島神社《かしまじんじゃ》に、地域《ちいき》の共同風呂《きょうどうぶろ》がありました。ある日《ひ》、そこにハンセン病《びょう》(1)を患《わずら》った女性《じょせい》が入《はい》ろうとしたところ、栄一《えいいち》を含《ふく》む近所《きんじょ》の子《こ》どもたちが「病気《びょうき》がうつるから入《はい》るな!」と女性《じょせい》をいじめていたのです。それを目《め》にした母《はは》は、「病気《びょうき》の人《ひと》は労《いた》わってあげなければなりません」と、子《こ》どもたちを一喝《いっかつ》(2)しました。そして、ゑい自《みずか》ら、その女性《じょせい》の頭《あたま》や体《からだ》をあらってあげました。その後《あと》も、その女性《じょせい》を自宅《じたく》に招《まね》き、長《なが》きにわたり面倒《めんどう》(3)をみ続《つづ》けました。

ゑ《え》いは、「あんたがうれしいだけじゃなくて、みんながうれしいのが一番《いちばん》なんだで」と言《い》って、自分《じぶん》の子《こ》も、人様《ひとさま》(4)の子《こ》も、病気《びょうき》の人《ひと》も分《わ》け隔《へだ》てなく包《つつ》み込《こ》む慈愛《じあい》の精神《せいしん》の持《も》ち主《ぬし》でした。

---

(1) ハンセン病
らい菌という細菌に感染し皮疹や神経障害をおこす病気

(2) 一喝
大声で強くしかりつけること

(3) 面倒をみる
手助けをすること

(4) 人様
他人のこと

（5）代官
地域を治めていた武士の役人

（6）五百両
今のお金に換算すると五千万円ぐらい

（7）御用金
藩が財政困窮を補うために、臨時で農民、商人に課したお金のこと

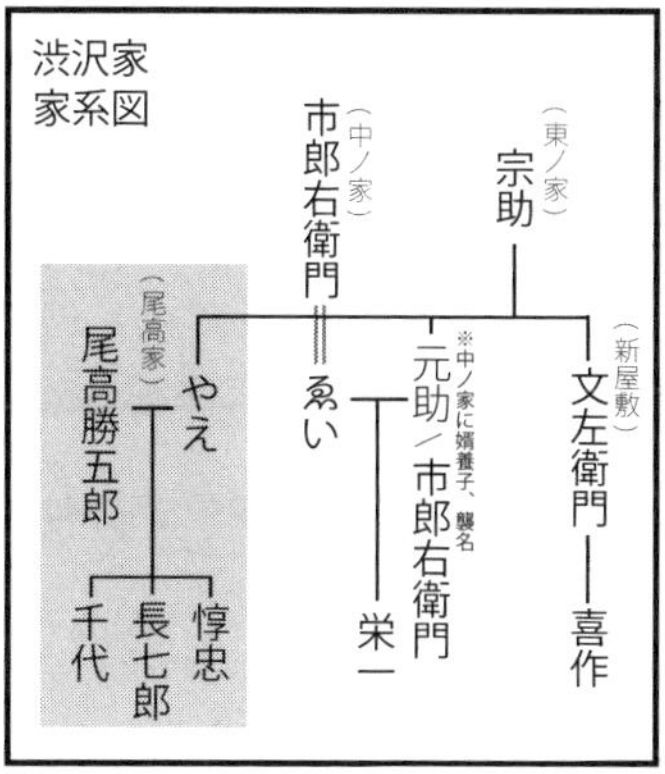

2. 尊皇攘夷《そんのうじょうい》の志士《しし》になる

十六歳《さい》の時《とき》、栄一《えいいち》の人生《じんせい》に決定的《けっていてき》な影響《えいきょう》を与《あた》える事件《じけん》が起《お》こりました。ある日《ひ》、仕事《しごと》に出《で》かけていた父《ちち》の代理《だいり》として代官所《だいかんしょ》に出向《でむ》いた栄一《えいいち》は、代官《だいかん》(5)から「藩主《はんしゅ》のお姫様《ひめさま》の嫁入《よめい》りがあるので五百両《りょう》(6)の御用金《ごようきん》(7)を準備《じゅんび》しろ」と命《めい》じられました。岡部藩《おかべはん》の藩主《はんしゅ》は渋沢家《しぶさわけ》のような豪農《ごうのう》に、御用金《ごようきん》を課《か》していたのです。

栄一《えいいち》は、日頃《ひごろ》から稼業《かぎょう》を手伝《てつだ》っていたので、五百両《りょう》という大金《たいきん》を揃《そろ》えるのがどれほど大変《たいへん》なことなのかを身《み》をもって知《し》っていました。簡単《かんたん》に首《くび》を縦《たて》に振《ふ》ることができませんでした。栄一《えいいち》は「私《わたし》は父《ちち》の代理《だいり》です。いったん帰《かえ》って父《ちち》に伝《つた》え、改《あらた》めて参上《さんじょう》します」と答《こた》えました。すると代官《だいかん》は「お前《まえ》の家《いえ》なら、五百

両《りょう》などどういうことはないだろう。この場《ば》ですぐ承諾《しょうだく》しろ」と威圧《いあつ》(1)してきたのです。

結局《けっきょく》、話《はなし》をいったん家《いえ》に持《も》ち帰《かえ》り、父《ちち》に伝《つた》えたところ、「お代官様《だいかんさま》に逆《さか》らうわけにはいかない」と五百両《りょう》の御用金《ごようきん》を納《おさ》めることになりました。

「なぜ、こんな理不尽《りふじん》な話《はなし》が通《とお》ってしまうのか？」と、栄一《えいいち》は農民《のうみん》という立場《たちば》に深《ふか》い疑問《ぎもん》を感《かん》じるようになります。

この事《こと》をきっかけに、栄一《えいいち》は「志士《しし》となって徳川幕府《とくがわばくふ》を倒《たお》し、平等《びょうどう》な世《よ》の中《なか》をつくらなければならない」と、強《つよ》い志《こころざし》を抱《いだ》くようになったのです。

嘉永《かえい》六年《ねん》（一八五三）、アメリカの提督《ていとく》ペリー率《ひき》いる巨大軍《きょだいぐん》艦《かん》、黒船《くろふね》(2)が相模国《さがみのくに》の浦賀《うらが》(3)に来航《らいこう》し、日本《にほん》に開国《かいこく》を迫《せま》ってきました。翌年《よくねん》、幕府《ばくふ》はアメリカと日米和親条約《にちべいわしんじょうやく》(4)を締結《ていけつ》してしまいます。

（1）威圧
力づくで言いきかせようとする、威力で相手をおさえつけること

（2）黒船
遠洋航海をおこなう大型の蒸気船や帆船

（3）浦賀
現在の神奈川県横須賀市

（4）日米和親条約
下田、函館を開港すること。アメリカ船に食料を供給し、難破船の救助を行うこと

渋沢喜作（左）と尾高惇忠（右）（渋沢史料館）

（5）遊学
よその土地に行って見聞を広め勉学すること

（6）口実
言いわけや言いのがれ

（7）開明派
外国の優れているところを取り入れる考えの人

「このまま徳川《とくがわ》幕府《ばくふ》に政治《せいじ》を任《まか》せておけば外国人《がいこくじん》に日本《にほん》を占領《せんりょう》されてしまう。外国人《がいこくじん》を追《お》い出《だ》して、天皇《てんのう》を中心《ちゅうしん》とした政治《せいじ》体制《たいせい》にしよう」という尊皇攘夷運動《そんのうじょういうんどう》が幕府《ばくふ》に反発《はんぱつ》する志士《しし》たちにより引《ひ》き起《お》こされ、活発《かっぱつ》になっていきます。

十八歳《さい》になった栄一《えいいち》は尾高惇忠《おだかじゅんちゅう》の妹《いもうと》で幼馴染《おさななじみ》の千代《ちよ》と結婚《けっこん》しますが、時代《じだい》の波《なみ》に飲《の》み込《こ》まれ、稼業《かぎょう》もろくにせず尊皇攘夷運動《そんのうじょういうんどう》に熱《ねつ》をあげていきます。

栄一《えいいち》は二十一歳《さい》の時《とき》、父《ちち》の許《ゆる》しを得《え》て従兄《いとこ》の渋沢喜作《しぶさわきさく》と共《とも》に、江戸《えど》に遊学《ゆうがく》（5）するのですが、遊学《ゆうがく》というのはまったくの口実《こうじつ》（6）で、真《しん》の目的《もくてき》は幕府襲撃《ばくふしゅうげき》のため武器《ぶき》を購入《こうにゅう》すること、そして尊皇攘夷派《そんのうじょういは》の志士《しし》たちと繋《つな》がることでした。

江戸《えど》遊学中《ゆうがくちゅう》に、二人《ふたり》は水戸藩《みとはん》と縁《えん》のある徳川一橋家《とくがわひとつばしけ》の御用人《ごようにん》の平岡円四郎《ひらおかえんしろう》と出会《であ》います。平岡《ひらおか》は開明派《かいめいは》（7）で、一を聞《き》けば十を知《し》るといわれる天才《てんさい》でした。気《き》さくな性格《せいかく》で書生《しょせい》(1)を呼《よ》びとめては語《かた》り合《あ》い、気《き》にいった人物《じんぶつ》は身分《みぶん》を問《と》わず一橋家《ひとつばしけ》への仕官《しかん》(2)を勧《すす》めていたのです。平岡《ひらおか》は、栄一《えいいち》と喜作《きさく》をひどく気《き》にいり、「お前《まえ》ら見込《みこ》みがあるな。一橋家《ひとつばしけ》に仕官《しかん》しないか。お前《まえ》ら農民《のうみん》が国《くに》の為《ため》にと騒《さわ》いだところで時代《じだい》は変《か》えられないぞ」と言《い》って二人《ふたり》に、一橋家《ひとつばしけ》に仕官《しかん》するよう勧《すす》めてきたのです。

水戸藩《みとはん》は尊皇攘夷思想発祥《そんのうじょういしそうはっしょう》の地《ち》でもあり、一橋慶喜《ひとつばしよしのぶ》は、その水戸藩《みとはん》の気風《きふう》を継《つ》ぐ英主《えいしゅ》(3)であると評判《ひょうばん》でした。一橋家《ひとつばしけ》は徳川幕府《とくがわばくふ》の御三卿《ごさんきょう》(4)の一《ひと》つでもあり、将軍《しょうぐん》の後見職《こうけんしょく》でした。しかし、二人《ふたり》がしようとしているのは、「幕府《ばくふ》を倒《たお》すこと」でしたので、平岡《ひらおか》の仕官《しかん》の勧《すす》めを断《ことわ》ります。

「気《き》が変《か》わった時《とき》はいつでも俺《おれ》のところに来《こ》いよ」と、平岡《ひらおか》に言《い》われ、二人《ふたり》は故郷《こきょう》の血洗島《ちあらいじま》に帰郷《ききょう》しました。

(1) 書生
学問を志す若者

(2) 仕官
務めること、奉公すること

(3) 英主
すぐれた君主

(4) 御三卿
江戸時代中頃にできた徳川将軍家の分家で、田安・一橋・清水家栄一《えいいち》は、二十三歳《さい》の時《とき》、上州《じょうしゅう》(5)の高崎城《たかさきじょう》を乗《の》っ取《と》り、軍備《ぐんび》を整《ととの》えてから横浜《よこはま》の外国人居留地《がいこくじんきょりゅうち》を焼《や》き討《う》ちにするという奇襲計画《きしゅうけいかく》を企《くわだ》てます。この計画《けいかく》に加《くわ》わろうとした仲間《なかま》はわずか六十人《にん》程度《ていど》でした。

この時《とき》、栄一《えいいち》は父親《ちちおや》に勘当《かんどう》(6)を申《もう》し出《で》て、こう言《い》います。

「武士《ぶし》の政治《せいじ》がここまで衰《おとろ》え腐敗《ふはい》が進《すす》んでしまった以上《いじょう》、もはやこの日本《にほん》がどうなるかわかりません。もし日本《にほん》の国《くに》がこのまま沈《しず》むような場合《ばあい》でも、自分《じぶん》は農民《のうみん》だから少《すこ》しも関係《かんけい》ない、と言《い》って傍観《ぼうかん》(7)していられるでしょうか。何事《なにごと》も知《し》らなければそれまでのことかもしれません。しかし知《し》ってしまった以上《いじょう》は、国民《こくみん》の役割《やくわり》として決《けっ》して安閑《あんかん》(8)としていられるものではないと思《おも》われます。もはやこの時勢《じせい》になった以上《いじょう》は、百姓《ひゃくしょう》、町人《ちょうにん》、または武家《ぶけ》の差別《さべつ》などないし、血洗島《ちあらいじま》の渋沢家《しぶさわけ》一軒《いっけん》の行《ゆ》く末《すえ》を気《き》にし

(5) 上州
今の群馬県

(6) 勘当
親が子との縁を切ること

(7) 傍観
その物事に関係のない立場で、ただ見ているだけのこと

(8) 安閑
のんびりとして静かなさま

ても意味《いみ》がありません。私個人《わたしこじん》の決断《けつだん》については、なおさらのことのように思《おも》います」

栄一《えいいち》が考《かんが》えていたのは、自分《じぶん》の身《み》や家《いえ》のことを超《こ》えた日本《にほん》のことだったのです。

奇襲計画実行《きしゅうけいかくじっこう》も間近《まぢか》に迫《せま》ったその時《とき》です。京都《きょうと》の情勢《じょうせい》を探《さぐ》って帰《かえ》ってきた尾高長七郎《おだかちょうしちろう》(1)が計画《けいかく》の中止《ちゅうし》を主張《しゅちょう》しました。なぜなら、京都《きょうと》で攘夷《じょうい》を企《くわだ》てた天誅組《てんちゅうぐみ》の変《へん》(2)が失敗《しっぱい》におわり、尊皇攘《そんのうじょ》夷派《ういは》は壊滅《かいめつ》させられてしまっていたからです。

「実行《じっこう》するのか」、「やめるのか」と、栄一《えいいち》と長七郎《ちょうしちろう》は殴《なぐ》り合《あ》い寸前《すんぜん》の議論《ぎろん》となりますが、結局《けっきょく》、奇襲計画《きしゅうけいかく》は中止《ちゅうし》となってしまいます。しかし、この情報《じょうほう》は漏洩《ろうえい》(3)していて、栄一《えいいち》と喜作《きさく》は幕府《ばくふ》から追《お》われる身《み》となりました。血洗島《ちあらいじま》にいられなくなった二人《ふたり》は故郷《こきょう》を離《はな》れなければなりませんでした。

（1）尾高長七郎
惇忠の弟

（2）天誅組の変
尊皇攘夷派（天誅組）が決起し、幕府軍の討伐を受けて壊滅した事件

（3）漏洩
もれること、知られること

しかし、無駄《むだ》に放浪《ほうろう》していても、いずれ捕《つか》まってしまいます。その時《とき》、浮《う》かんだのが、平岡円四郎《ひらおかえんしろう》の仕官《しかん》の話《はなし》でした。二人《ふたり》は、円四郎《えんしろう》を頼《たよ》って江戸《えど》の平岡邸《ひらおかてい》に向《む》かいました。

3. 徳川慶喜《とくがわよしのぶ》との出会《であ》い

そんな時《とき》、幕府《ばくふ》では、十三代《だい》将軍《しょうぐん》の徳川家定《とくがわいえさだ》に子《こ》どもがおらず、次《つぎ》の将軍《しょうぐん》を誰《だれ》にするかという後継者問題《こうけいしゃもんだい》が起《お》きていました。一橋慶喜《ひとつばしよしのぶ》と紀伊《きい》の徳川家茂《とくがわいえもち》(4)が次《つぎ》の将軍《しょうぐん》の候補《こうほ》にあがりましたが、結果《けっか》は徳川家茂《とくがわいえもち》が十四代《だい》将軍《しょうぐん》になりました。

その後《ご》、幕府《ばくふ》は、公武合体《こうぶがったい》(5)をめざして、その交渉《こうしょう》のため徳川《とくがわ》家茂《いえもち》が上京《じょうきょう》(6)することが決《き》まります。その交渉役《こうしょうやく》に任命《にんめい》された一橋慶喜《ひとつばしよしのぶ》とその側近《そっきん》である円四郎《えんしろう》も同行《どうこう》することになりまし

（4）紀伊の徳川家茂
尾張、水戸とともに徳川御三家の一つである紀伊藩（今の和歌山県）藩主だった

（5）公武合体
朝廷と幕府が協力して政治を行うこと

（6）上京
朝廷のあった京都に行くこと

た。江戸《えど》の平岡邸《ひらおかてい》に行《い》っても円四郎《えんしろう》は不在《ふざい》だったのです。

途方《とほう》に暮《く》れる栄一《えいいち》と喜作《きさく》に、平岡《ひらおか》の妻《つま》やすが声《こえ》をかけてきました。円四郎《えんしろう》は二人《ふたり》がいずれ訪《おとず》れることを予測《よそく》して、やすに二人《ふたり》が来《き》たら「平岡家《ひらおかけ》の家来《けらい》にしてやってくれ」と伝《つた》えていたのです。平岡家《ひらおかけ》の家来《けらい》になれば、道中《どうちゅう》を堂々《どうどう》と歩《ある》けるし関所《せきしょ》も疑《うたが》われずに通《とお》れるので、幕府《ばくふ》に追《お》われていた二人《ふたり》にはとても都合《つごう》が良《よ》かったのです。二人《ふたり》は、平岡家《ひらおかけ》の家来《けらい》として円四郎《えんしろう》のいる京都《きょうと》に向《む》かいました。

京都《きょうと》に到着《とうちゃく》した栄一《えいいち》と喜作《きさく》は円四郎《えんしろう》に会《あ》い、これまでの事情《じじょう》をすべて話《はな》しました。円四郎《えんしろう》は話《はなし》を聞《き》いた後《あと》、二人《ふたり》に言《い》いました。「この際《さい》、お前《まえ》たちは今《いま》までの信条《しんじょう》を曲《ま》げて一橋慶喜公《ひとつばしよしのぶこう》の家来《けらい》になれ」と、再《ふたた》び一橋家《ひとつばしけ》に仕官《しかん》することを勧《すす》めてきたのです。

栄一《えいいち》と喜作《きさく》はその場《ば》で返答《へんとう》できず、二晩《ふたばん》よく考《かんが》えました。そして、円四郎《えんしろう》にこのような提案《ていあん》をしたのです。

「お仕《つか》えする前《まえ》に慶喜公《よしのぶこう》に謁見《えっけん》し(1)、志士《しし》としての意見《いけん》を言《い》わせてもらえないでしょうか」

二人《ふたり》は仕官《しかん》する前《まえ》に、どうしても自分《じぶん》たちの幕府《ばくふ》に対《たい》する意見《いけん》を慶喜《よしのぶ》に伝《つた》えたかったのです。後日《ごじつ》、念願《ねんがん》の謁見《えっけん》を果《は》たした二人《ふたり》は慶喜《よしのぶ》にこう申《もう》し上《あ》げました。

「今《いま》、幕府《ばくふ》の命《いのち》は終《お》わろうとしています。幕府《ばくふ》を庇《かば》えば一橋家《ひとつばしけ》も潰《つぶ》れてしまうでしょう。そこで、一橋家《ひとつばしけ》に志《こころざし》ある志士《しし》を集《あつ》め、旧体制《きゅうたいせい》を改《あらた》めましょう。幕府《ばくふ》を倒《たお》すということは、世《よ》の中《なか》を建《た》て直《なお》すということなのです」

なんと慶喜《よしのぶ》はそれを受《う》け入《い》れ、晴《は》れて二人《ふたり》

徳川（一橋）慶喜（渋沢史料館）

（1）謁見
身分の高い人に会うこと

は一橋家《ひとつばしけ》に仕官《しかん》したのです。わずか九カ月《げつ》で、栄一《えいいち》と喜作《きさく》は慶《よし》喜《のぶ》の信頼《しんらい》を得《え》て、歩兵《ほへい》に取《と》り立《た》て(1)られ、後《のち》には、重用《ちょうよう》されるようになるのです。

一橋家《ひとつばしけ》に仕官《しかん》した栄一《えいいち》は商売《しょうばい》の才能《さいのう》を発揮《はっき》していきます。財《ざい》政改革《せいかいかく》で成果《せいか》をあげるなどして周囲《しゅうい》にその能力《のうりょく》を認《みと》めさせ、あっという間《ま》に勘定組頭《かんじょうくみがしら》(2)に出世《しゅっせ》しました。そして、栄一《えいいち》と慶《よし》喜《のぶ》は二人《ふたり》きりで懇意《こんい》に語《かた》るまでの親密《しんみつ》な関係《かんけい》になっていました。

慶応《けいおう》二年《ねん》（一八六六）、十四代将軍徳川家茂《だいしょうぐんとくがわいえもち》が急逝《きゅうせい》(3)します。そしてあろうことか一橋慶喜《ひとつばしよしのぶ》が十五代将軍《だいしょうぐん》となるのです。同《どう》時《じ》に、一橋家《ひとつばしけ》に仕《つか》えていた栄一《えいいち》も、自《みずか》らが倒《たお》そうとした徳川《とくがわ》将軍《しょうぐん》の幕臣《ばくしん》(4)になってしまったのです。しかし幕臣《ばくしん》といっても栄一《えいいち》は元農民《もとのうみん》のため、地位《ちい》は低《ひく》く、将軍慶喜《しょうぐんよしのぶ》からは遠《とお》ざけられ、お目見《めみ》えもできなくなってしまいました。

(1) 取り立て
目をかけて登用すること

(2) 勘定組頭
財政および農政を担当する部署の実務責任者

(3) 急逝
突然、亡くなること

(4) 幕臣
幕府の一員、家来

4. パリでみた合本主義《がっぽんしゅぎ》

皮肉《ひにく》にも倒《たお》そうとしていた幕府《ばくふ》の家臣《かしん》になってしまった栄一《えいいち》は、農民《のうみん》にもどることや、いっそ自《みずか》らの命《いのち》を絶《た》つことも考《かんが》えました。そんな失意《しつい》のどん底《ぞこ》で、夢《ゆめ》のような話《はなし》が舞《ま》い降《お》りてきました。なんとパリで開催《かいさい》される万国博覧会《ばんこくはくらんかい》(5)に派遣《はけん》されることになったのです。栄一《えいいち》が二十七歳《さい》のときでした。

主催国《しゅさいこく》のフランスは日本《にほん》の万博《ばんぱく》への参加《さんか》にあたり、展示物《てんじぶつ》の出品《しゅっぴん》と将軍親族《しょうぐんしんぞく》の派遣《はけん》を求《もと》めました。日本《にほん》は将軍慶喜《しょうぐんよしのぶ》の弟《おとうと》である徳川昭武《とくがわあきたけ》を送《おく》ることになり、そのお供《とも》として栄一《えいいち》はパリ万《ばん》博《ぱく》の使節団《しせつだん》の一員《いちいん》に任命《にんめい》されたのです。これは、栄一《えいいち》の境遇《きょうぐう》を察《さっ》した慶喜《よしのぶ》の計《はか》らいで、滞在期間《たいざいきかん》は五年間《ねんかん》の予定《よてい》でした。

(5) 万国博覧会（万博）
多くの国々が参加し、民衆の教育のために、文明的なものの展示を行う催し

パリ使節団一行《しせつだんいっこう》は、慶応《けいおう》三年《ねん》（一八六七）一月《がつ》に横浜港《よこはまこう》を出港《しゅっこう》しました。当時《とうじ》の航海技術《こうかいぎじゅつ》ではいっきにフランスまでたどり着《つ》くことはできず、上海《しゃんはい》、香港《ほんこん》、シンガポールなどに寄港《きこう》し、スエズから陸路《りくろ》でアレキサンドリア経由《けいゆ》でパリへ向《む》かいました。

パリの街《まち》は上下水道《じょうげすいどう》、ガス灯《とう》、病院《びょういん》などの社会的《しゃかいてき》インフラ(1)設《せつ》備《び》が整《ととの》っており、また織物工場《おりものこうじょう》、機械工場《きかいこうじょう》、鉄道《てつどう》、海運《かいうん》などの技術革新《ぎじゅつかくしん》に溢《あふ》れ、近代《きんだい》ヨーロッパ文明《ぶんめい》の縮図《しゅくず》でした。また、政府《せいふ》や自治体《じちたい》が民間《みんかん》から資金《しきん》を集《あつ》めガスや水道《すいどう》を整備《せいび》し、使用料《しようりょう》からの収入《しゅうにゅう》を投資家《とうしか》に還元《かんげん》するという、後《のち》に栄一《えいいち》が日本近代化《にほんきんだいか》に向《む》けて提唱《ていしょう》した「合本主義《がっぽんしゅぎ》」(2)が円滑《えんかつ》に機能《きのう》していたのです。

そして、栄一《えいいち》がなにより驚《おどろ》いたのが、国民全体《こくみんぜんたい》が

パリでの栄一（渋沢史料館）

（1）インフラ
人々の生活基盤のこと。

（2）合本主義
会社は、社会のために、人と資本を集めて、事業をおこなうべきとする考え方

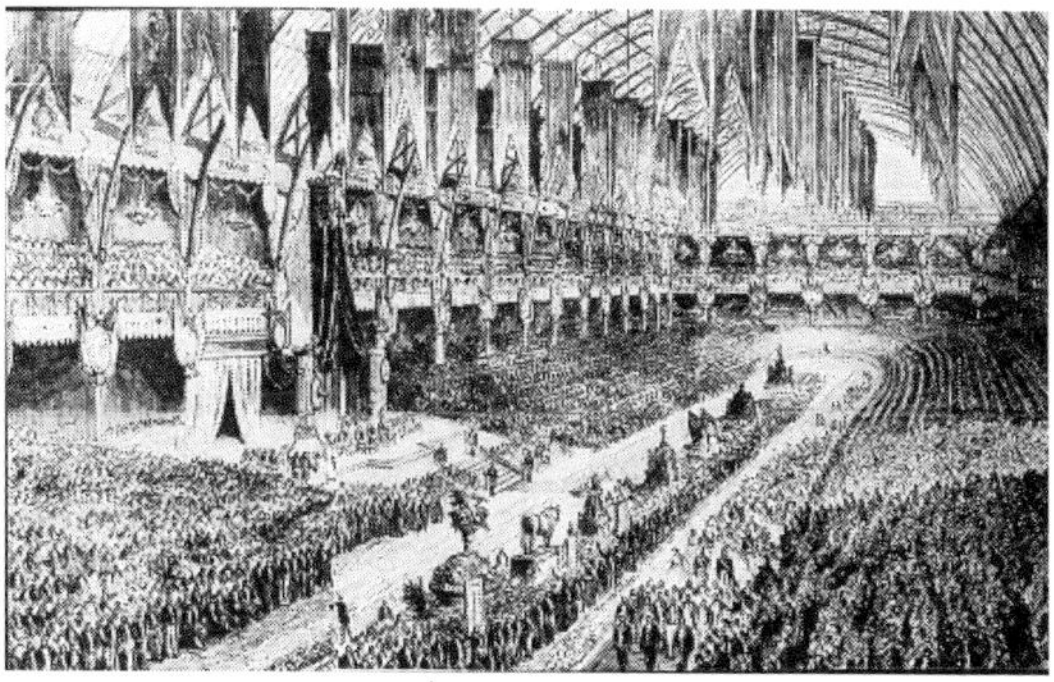

パリ万博表彰式（渋沢史料館）

平等《びょうどう》であり、役人《やくにん》だからといって威張《いば》ることもなく、官《かん》も民《みん》も対等《たいとう》であったことです。階級差別《かいきゅうさべつ》というものが既《すで》に撤廃《てっぱい》されていたのでした。

栄一《えいいち》は一年半《ねんはん》のパリ滞在中《たいざいちゅう》に、株式会社《かぶしきがいしゃ》・経済《けいざい》・銀行《ぎんこう》の仕組《しく》みを調査《ちょうさ》・研究《けんきゅう》しました。それが後《のち》に日本《にほん》の近代的企業《きんだいてききぎょう》の設立《せつりつ》や制度改正《せいどかいせい》に繋《つな》がっていくのです。

栄一《えいいち》たちがパリ滞在中《たいざいちゅう》、日本《にほん》ではとんでもない事件《じけん》が起《お》きていました。徳川慶喜《とくがわよしのぶ》が政権《せいけん》を朝廷《ちょうてい》に返上《へんじょう》したのです。これを大《たい》政奉還《せいほうかん》といいます。徳川幕府《とくがわばくふ》は崩壊《ほうかい》し、江戸時代《えどじだい》が終《お》わり明治《めいじ》時代《じだい》が幕《まく》を開《あ》けたのです。

パリ使節団《しせつだん》は徳川幕府《とくがわばくふ》の特命《とくめい》であったため、明治新政府《めいじしんせいふ》は使《し》節団《せつだん》に帰国命令《きこくめいれい》を出《だ》してきました。

翌年《よくねん》パリから帰国《きこく》した栄一《えいいち》は、徳川昭武《とくがわあきたけ》の手紙《てがみ》を持《も》って慶喜《よしのぶ》

（1）駿府
現在の静岡市

（2）愚痴
言ってもしかたのないことを言って悲しむこと

宝台院（渋沢史料館）

のいる静岡藩《しずおかはん》の駿府《すんぷ》(1)に向《む》かいました。慶喜《よしのぶ》は大政奉還後《たいせいほうかんご》、江戸《えど》城《じょう》を新政府《しんせいふ》に明《あ》け渡《わた》し、駿府《すんぷ》にある宝台院《ほうだいいん》という小《ちい》さな寺《てら》で謹《きん》慎中《しんちゅう》でした。栄一《えいいち》が通《とお》されたのは六畳《ろくじょう》ほどの小《ちい》さな座敷《ざしき》でした。ほどなく現《あらわ》れた慶喜《よしのぶ》の将軍《しょうぐん》のころとはあまりにも変《か》わり果《は》てた姿《すがた》に、栄一《えいいち》の目《め》からは涙《なみだ》がこぼれ落《お》ち、悔《くや》しい気持《きも》ちがこみあげ、ついつい愚痴《ぐち》(2)をこぼします。

　すると慶喜《よしのぶ》は、「今日《きょう》、お前《まえ》と会《あ》ったのは愚痴《ぐち》を聞《き》くためではない。フランス、そして昭武《あきたけ》の話《はなし》を聞《き》くためだ。そんな話《はなし》はもうよしてくれないか」と、とても優《やさ》しく穏《おだ》やかな声《こえ》で言《い》ったのです。

　慶喜《よしのぶ》の変《か》わらぬ気品《きひん》と懐《ふところ》の深《ふか》さを感《かん》じ、栄一《えいいち》は、なぜ愚痴《ぐち》をこぼしてしまったのかと深《ふか》く後悔《こうかい》しました。

　慶喜《よしのぶ》との再会《さいかい》を果《は》たした栄一《えいいち》は、慶喜《よしのぶ》から昭武《あきたけ》への手紙《てがみ》を預《あず》かって水戸《みと》へ帰《かえ》ろうとしますが、突如《とつじょ》、静岡藩《しずおかはん》からこのまま勘《かん》定組頭《じょうくみがしら》に就任《しゅうにん》するようにと命令《めいれい》が下《くだ》ります。「このまま栄一《えいいち》を水戸《みと》に帰《かえ》らせたら明治維新《めいじいしん》に混乱《こんらん》する水戸藩《みとはん》の情勢《じょうせい》[3]に巻《ま》き込《こ》まれて命《いのち》を落《お》としてしまうかもしれない」と予測《よそく》した慶喜《よしのぶ》が、静岡藩《しずおかはん》に頼《たの》んでいたからです。

栄一《えいいち》は静岡藩《しずおかはん》の勘定組頭《かんじょうくみがしら》となり、財政再建《ざいせいさいけん》に尽力《じんりょく》します。そしてフランスで学《まな》んだ知識《ちしき》を活《い》かし日本《にほん》で初《はじ》めての株式会社《かぶしきがいしゃ》「商法会所《しょうほうかいしょ》」を静岡《しずおか》に設立《せつりつ》しました。

5. 明治新政府《めいじしんせいふ》での改革《かいかく》

「渋沢栄一《しぶさわえいいち》を政府《せいふ》へ出仕《しゅっし》させよ」と。明治《めいじ》二年《ねん》（一八六九）、新政府《しんせいふ》の一員《いちいん》である大隈重信《おおくましげのぶ》からの通達《つうたつ》が静岡藩庁《しずおかはんちょう》に届《とど》きまし

（3）水戸藩の情勢
幕末、慶喜の信任があつかった平岡円四郎は水戸藩の藩士によって暗殺されている

た。商法会所《しょうほうかいしょ》の業績《ぎょうせき》に着目《ちゃくもく》した大隈《おおくま》は、栄一《えいいち》を新政府《しんせいふ》の大蔵省《おおくらしょう》(1)にスカウトしてきたのです。栄一《えいいち》が二十九歳《さい》のときでした。

当時《とうじ》の大蔵省《おおくらしょう》には大隈重信《おおくましげのぶ》、伊藤博文《いとうひろぶみ》、井上馨《いのうえかおる》と、そうそうたる(2)人物《じんぶつ》が名《な》を連《つら》ね、「新《あたら》しい日本《にほん》をつくるのだ」という気概《きがい》に満《み》ち溢《あふ》れていました。ところが、新政府《しんせいふ》へ仕官《しかん》した栄一《えいいち》が大蔵省《おおくらしょう》でみたものは非効率的《ひこうりつてき》な仕事《しごと》ぶりでした。

「これでは改革《かいかく》が進《すす》むはずがない!」

栄一《えいいち》は大隈《おおくま》に提案《ていあん》して、改正掛《かいせいがかり》(3)を新設《しんせつ》し、自《みずか》らが改正掛《かいせいがかり》長《ちょう》となり業務《ぎょうむ》の改革《かいかく》を進《すす》めていきます。

改正掛《かいせいがかり》は総勢《そうぜい》十三名《めい》で、二十から三十代《だい》の優《すぐ》れた人材《じんざい》を集《あつ》め、出《で》てきたアイデアをすぐ実行《じっこう》に移《うつ》すという形《かたち》で進《すす》めていきました。

改正掛《かいせいがかり》が手掛《てが》けたのは、租税制度《そぜいせいど》の改正《かいせい》、郵便制度《ゆうびんせいど》、銀行制《ぎんこうせい》

(1) 大蔵省
明治政府の中央官庁。金銭の出納や造幣など財政面を管轄した

(2) そうそうたる
名の知られた、とくに優れている

(3) 改正掛
政府に必要な制度改革の素案を作成する組織

度《ど》の新設《しんせつ》、鉄道《てつどう》の敷設《ふせつ》など二百件以上《けんいじょう》にもおよびます。栄一《えいいち》は、実業《じつぎょう》(4)という観点《かんてん》から日本近代化《にほんきんだいか》の土台《どだい》づくりに尽力《じんりょく》していきます。

好調《こうちょう》とも思《おも》えた改正掛《かいせいがかり》ですが、あまりにも急進的《きゅうしんてき》な改革《かいかく》を進《すす》めたため、新政府内《しんせいふない》の保守派《ほしゅは》や地方官《ちほうかん》との対立《たいりつ》を招《まね》いてしまいます。また新政府《しんせいふ》は、薩摩《さつま》・長州《ちょうしゅう》出身者《しゅっしんしゃ》が主要《しゅよう》なポストについていました。そのため、栄一《えいいち》をはじめ旧幕臣《きゅうばくしん》が中心《ちゅうしん》となり活躍《かつやく》していた改正掛《かいせいがかり》を目障《めざわ》りに思《おも》う官僚《かんりょう》も少《すく》なくありませんでした。そして、大久保利通《おおくぼとしみち》が大蔵卿《おおくらきょう》(5)に就任《しゅうにん》すると同時《どうじ》に、改正掛《かいせいがかり》は廃止《はいし》にされてしまいます。

「どんなに政府《せいふ》で実業《じつぎょう》を育成《いくせい》したとしても、直接産業《ちょくせつさんぎょう》に携《たずさ》わっていかなければ問題点《もんだいてん》に手《て》が届《とど》かない。この際《さい》、政治《せいじ》の世界《せかい》から身《み》を引《ひ》いて、直接実業界《ちょくせつじつぎょうかい》を牽引《けんいん》していくしかない」と考《かんが》え

（4）実業
人々が社会で生活するために必要な生産活動

（5）卿
省庁のトップ、責任者

明治初期の大蔵省（渋沢史料館）

た栄一《えいいち》は、あっさりと大蔵省《おおくらしょう》を辞《や》めて、実業界《じつぎょうかい》に足《あし》を踏《ふ》み入《い》れていくのです。

この時《とき》、大蔵省《おおくらしょう》の同僚《どうりょう》が、「君《きみ》は遠《とお》からず大臣《だいじん》にもなれるのに、賤《いや》しむべき金銭《きんせん》に目《め》がくらんで商人《しょうにん》になるとは呆《あき》れる」と批判《ひはん》します。これに対《たい》して栄一《えいいち》は、「金銭《きんせん》を取《と》り扱《あつか》うことが、なぜ賤《いや》しいのか。官《かん》が民間《みんかん》より尊《とうと》いと言《い》うが、それはそんなに尊《とうと》いことではない。人間《にんげん》が務《つと》める尊《とうと》い仕事《しごと》は至《いた》るところにある」と反論《はんろん》しました。

6. 実業界《じつぎょうかい》への転身《てんしん》

明治《めいじ》六年《ねん》（一八七三）、三十三歳《さい》となった栄一《えいいち》は、まず第一《だいいち》国立銀行《こくりつぎんこう》(1)を設立《せつりつ》しました。パリで学《まな》んだ「合本会社《がっぽんかいしゃ》」を日本《にほん》に

（1）第一国立銀行
日本最古の銀行。民間資本による民間経営の株式会社。現在のみずほ銀行

第一国立銀行（渋沢史料館）

根《ね》づかせる為《ため》には、資金《しきん》を集《あつ》めて会社《かいしゃ》をまわしていく銀行《ぎんこう》が必《ひつ》要《よう》だったのです。しかし、その頃《ころ》の日本《にほん》の商人《しょうにん》は銀行《ぎんこう》なんて知《し》りませんので、その役割《やくわり》をなかなか理解《りかい》してもらえません。国《こく》民《みん》が豊《ゆた》かになるためにつくった銀行《ぎんこう》でしたが、その機能《きのう》をいかすことができずにいたのです。

そこで栄一《えいいち》がとった作戦《さくせん》は、銀行《ぎんこう》の役割《やくわり》を世間《せけん》の人《ひと》に認《みと》めてもらうため自《みずか》ら会社《かいしゃ》をつくり、銀行《ぎんこう》と絡《から》めたビジネスモデルをつくって世《よ》の中《なか》に銀行《ぎんこう》の必要性《ひつようせい》を証明《しょうめい》していくというものでした。つくった会社《かいしゃ》が上手《うま》く軌道《きどう》にのったら別《べつ》の人《ひと》に会社《かいしゃ》を任《まか》せ、自分《じぶん》はまた新《あたら》しい事業《じぎょう》をつくる、ということを繰《く》り返《かえ》します。

明治《めいじ》五年《ねん》（一八七二）、東京府《とうきょうふ》は東京市内《とうきょうしない》の生活困窮者《せいかつこんきゅうしゃ》・孤《こ》児《じ》・老人《ろうじん》・障害者《しょうがいしゃ》の救済《きゅうさい》を目的《もくてき》とした東京府養育院《とうきょうふようろういん》を設立《せつりつ》しています。

しかし、こうした社会《しゃかい》福祉《ふくし》施設《しせつ》は公金《こうきん》で運営《うんえい》されていた為《ため》に、「公金《こうきん》で怠《なま》け者《もの》を増《ふ》やすのか」と社会《しゃかい》からの反発《はんぱつ》も少《すく》なくありませんでした。栄一《えいいち》は、困窮者《こんきゅうしゃ》の救済《きゅうさい》は社会《しゃかい》の義務《ぎむ》だと説《と》いて困窮者《こんきゅうしゃ》を守《まも》り続《つづ》けていきました。

そして栄一《えいいち》は、明治《めいじ》九年《ねん》（一八七六）に、養育院《よういくいん》の初《しょ》代院長《だいいんちょう》となり、亡《な》くなる昭和《しょうわ》六年《ねん》（一九三一）まで務《つと》めました。どんなに仕事《しごと》が忙《いそが》しくても月《つき》に一、二度《ど》は必《かなら》ず訪《ほう》問《もん》し、入居者《にゅうきょしゃ》と親《した》しく交流《こうりゅう》していきました。後《のち》に養育院《よういくいん》を分院《ぶんいん》し、老人養護施設《ろうじんようごしせつ》、児童養護施設《じどうようごしせつ》を設置《せっち》し拡大《かくだい》(1)しています。

栄一《えいいち》は産業《さんぎょう》の近代化《きんだいか》を進《すす》めるとともに、社会事業《しゃかいじぎょう》の育《いく》成《せい》も進《すす》めていったのです。

井之頭の養育院感化部・運動会（渋沢史料館）

（1）児童養護施設を設置し拡大　両親を亡くした、はぐれ少年・児童を保護教育するため、栄一は、皇室から土地を拝借し、児童養護施設とは別に、養育院感化部を開設。今は恩賜井の頭公園となっている

（同右　児童の作業）

（2）財閥
一族の独占的資本による経営形態

7．三菱財閥《みつびしざいばつ》（岩崎弥太郎《いわさきやたろう》）との戦《たたか》い

明治《めいじ》から大正《たいしょう》にかけて日本《にほん》は、近代的《きんだいてき》な資本主義社会《しほんしゅぎしゃかい》へと急速《そく》に変化《へんか》を遂《と》げました。その当時《とうじ》、日本近代化《にほんきんだいか》の主軸《しゅじく》となっていたのは三井《みつい》、三菱《みつびし》、住友《すみとも》、安田《やすだ》、古河《ふるかわ》、浅野《あさの》、川崎《かわさき》、藤田《ふじた》などの財閥《ざいばつ》（2）です。

なかでも三菱財閥創始者《みつびしざいばつそうししゃ》の岩崎弥太郎《いわさきやたろう》と栄一《えいいち》は事業家《じぎょうか》として全《まった》く異《こと》なる信念《しんねん》を持《も》っており、相反《あいはん》する意見《いけん》をぶつけ合《あ》う関係《かんけい》にありました。岩崎弥太郎《いわさきやたろう》は、会社《かいしゃ》の利益《りえき》も損失《そんしつ》も、すべては社長《しゃちょう》のものという「独占主義《どくせんしゅぎ》」でした。

いっぽう栄一《えいいち》は、「儲《もう》けるのはいいことだ。しかし利益《りえき》は独《どく》占《せん》せず、社会《しゃかい》に還元《かんげん》しなければならない」という考《かんが》えでした。公益《こうえき》を追求《ついきゅう》するのに、身分《みぶん》・家柄《いえがら》は関係《かんけい》なく、最《もっと》も適《てき》した人材《じんざい》と資金《しきん》を集《あつ》め、企業《きぎょう》の公共性《こうきょうせい》と社会的責任《しゃかいてきせきにん》(1)を重視《じゅうし》しつつ、事業《じぎょう》を推進《すいしん》させる「合本主義《がっぽんしゅぎ》」だったのです。

明治《めいじ》十三年《ねん》（一八八〇）、栄一《えいいち》が四十歳《さい》のとき、東京《とうきょう》の向島《むこうじま》の料亭《りょうてい》で弥太郎《やたろう》が酒席《しゅせき》(2)を設《もう》け、栄一《えいいち》に協力《きょうりょく》して事業《じぎょう》を進《すす》めていこうと提案《ていあん》しました。しかし、栄一《えいいち》は弥太郎《やたろう》の考《かんが》えを受《う》け入《い》れることができず、議論《ぎろん》は白熱《はくねつ》し、その場《ば》を立《た》ち去《さ》ります。この出来事《できごと》をきっかけに、弥太郎《やたろう》率《ひき》いる「郵便汽船三菱会社《ゆうびんきせんみつびしがいしゃ》」、そして栄一《えいいち》の率《ひき》いる「共同運輸会社《きょうどううんゆがいしゃ》」は、海運業《かいうんぎょう》において、壮絶《そうぜつ》な戦《たたか》いを繰《く》り広《ひろ》げていきます。

共倒《ともだお》れになれば日本《にほん》の海運業《かいうんぎょう》は崩壊《ほうかい》し、海外企業《かいがいきぎょう》に海運市場《かいうんしじょう》が奪《うば》われてしまうという状況《じょうきょう》でした。しかし二人《ふたり》は、疲弊《ひへい》(3)していくだけの虚《むな》しい消耗戦《しょうもうせん》を繰《く》り広《ひろ》げていきます。利益《りえき》を度外視《どがいし》した積荷《つみに》の値下《ねさ》げ競争《きょうそう》、燃費度外視《ねんぴどがいし》のスピード競争《きょうそう》……。この

（1）企業の公共性と社会的責任
企業は公益のためにあり、社会にも利益を還元するという考え方

（2）酒席
酒宴の席。腹をわって話をするために行われる

（3）疲弊
疲れて弱る。財力がつきて苦しむ

日本鉄道㈱（左）と日本郵船㈱（右）（渋沢史料館）

まま共倒《ともだお》れかと思《おも》ったところで、なんと弥太郎《やたろう》は病死《びょうし》してしまうのです。日本政府《にほんせいふ》はこの機《き》を逃《のが》すことなく仲介《ちゅうかい》に乗《の》り出《だ》し、明治《めいじ》十八年《ねん》（一八八五）に両社《りょうしゃ》を合併《がっぺい》させて日本郵船株式会社《にほんゆうせんかぶしきがいしゃ》を設立《せつりつ》させました。こうして日本《にほん》の海運業《かいうんぎょう》が海外《かいがい》に乗《の》っ取《と》られることはありませんでした。

栄一《えいいち》は六十九歳《さい》で実業界《じつぎょうかい》を引退《いんたい》します。それまでに設立《せつりつ》した企業《きぎょう》はおおよそ五百社《しゃ》にのぼります。大阪紡績会社《おおさかぼうせきがいしゃ》、官営深《かんえいふか》谷《や》セメント、日本鉄道会社《にほんてつどうがいしゃ》、帝国《ていこく》ホテル、日本煉瓦製造会社《にほんれんがせいぞうがいしゃ》、サッポロビールなど数多《かずおお》くの事業《じぎょう》を設立《せつりつ》しました。

栄一《えいいち》は、どうして五百社《しゃ》もの会社《かいしゃ》の設立《せつりつ》に関《かか》わることができたのでしょうか。その理由《りゆう》は三《みっ》つあります。

一《ひと》つ目《め》は、志《こころざし》です。彼《かれ》は自分《じぶん》のお金儲《かねもう》けではなく、日本《にほん》を強《つよ》く繁栄《はんえい》した国家《こっか》にするという目標《もくひょう》をもっていました。

二《ふた》つ目《め》は、議論《ぎろん》です。彼《かれ》は幼少《ようしょう》の頃《ころ》から幅広《はばひろ》い読書《どくしょ》の習慣《しゅうかん》もあって、反対意見《はんたいいけん》も含《ふく》めてみんなの意見《いけん》をよく聞《き》き熟考《じゅっこう》して、とことんまで話《はな》し合《あ》いを行《おこな》ったことです。

三《みっ》つ目《め》は、人《ひと》です。栄一《えいいち》は他人《たにん》の良《よ》い意見《いけん》はどんどん取《と》り入《い》れて実現《じつげん》させてやりました。また関《かか》わった人物《じんぶつ》を適材適所《てきざいてきしょ》に配《はい》置《ち》し、個人《こじん》の能力《のうりょく》をいかし日本近代化《にほんきんだいか》を進《すす》めていったのです。

8. 青《あお》い目《め》の人形《にんぎょう》

栄一《えいいち》は、六十九歳《さい》の時《とき》、会頭《かいとう》・会長《かいちょう》などを務《つと》めていた六十社《しゃ》の企業《きぎょう》から身《み》を引《ひ》きました。栄一《えいいち》が次《つぎ》に見据《みす》えたのは日米関係《にちべいかんけい》の回復《かいふく》です。日露戦争《にちろせんそう》まで良好《りょうこう》だった両国関係《りょうこくかんけい》は、文化的《ぶんかてき》な摩《ま》擦《さつ》や移民問題《いみんもんだい》(1)などで悪化《あっか》していたのです。

---

(1) 移民問題
日本からアメリカへの移民が多くなり、アメリカで日本人移民を排除しようという動きがおきた

（2）排日体制
日本人を排除しようとする体制

日本から贈られた人形のワシントンにおける歓迎会、シドニー・ギューリック（上段中央）（渋沢史料館）

明治《めいじ》四十二年《ねん》（一九〇九）、栄一《えいいち》が七十歳《さい》の時《とき》、渡米実業団《とべいじつぎょうだん》団長《だんちょう》として初《はじ》めてアメリカに渡《わた》ります。滞在期間《たいざいきかん》三カ月《げつ》でした。その後《ご》の渡米《とべい》も含《ふく》めて全《ぜん》四回《かい》におよび、タフト大統領《だいとうりょう》、発明王《はつめいおう》エジソン、鉄鋼王《てっこうおう》ゲーリーなど、当時《とうじ》のアメリカを代表《だいひょう》する人々《ひとびと》と会談《かいだん》しました。大正《たいしょう》四年《ねん》（一九一五）の三度目《どめ》の訪問《ほうもん》ではウィルソン大統領《だいとうりょう》と会談《かいだん》し、排日体制《はいにちたいせい》(2)の緩和《かんわ》に尽力《じんりょく》しますが、その甲斐《かい》むなしく、日米関係《にちべいかんけい》は悪化《あっか》の一途《いっと》をたどっていきます。

栄一《えいいち》が八十六歳《さい》のとき、日米関係委員会幹事《にちべいかんけいいいんかいかんじ》のシドニー・ギューリック氏《し》から手紙《てがみ》が届《とど》きます。

「日米関係《にちべいかんけい》を少《すこ》しでも良好《りょうこう》にしたいので、アメリカの子《こ》どもから日本《にほん》の子《こ》どもたちへ人形《にんぎょう》を贈《おく》りたい」という提案《ていあん》でした。アメリカから届《とど》いた人形《にんぎょう》の数《かず》は一万二千七百三十九体《たい》。この人《にん》形《ぎょう》は「青《あお》い目《め》の人形《にんぎょう》」または「友情人形《ゆうじょうにんぎょう》」と呼《よ》ばれ、全《ぜん》国《こく》の幼稚園《ようちえん》や小学校《しょうがっこう》に飾《かざ》られました。当時《とうじ》、日本《にほん》は不景《ふけい》気《き》で、経済《けいざい》は大《おお》きく停滞《ていたい》していました。経済事情《けいざいじじょう》を知《し》っていたギューリック氏《し》は、人形《にんぎょう》の返礼《へんれい》はしないで欲《ほ》しいと日本側《にほんがわ》に依頼《いらい》しました。

しかし日本側《にほんがわ》は、全国《ぜんこく》の幼稚園《ようちえん》、小学校《しょうがっこう》より募金《ぼきん》を募《つの》り、友情《ゆうじょう》の証《あかし》として、クリスマスに精巧《せいこう》に作《つく》られた市松《いちまつ》人形《にんぎょう》(1)五十八体《たい》をアメリカに贈《おく》りました。このことが日《にち》米双方《べいそうほう》のマスコミに大《おお》きくとりあげられて、一時的《いちじてき》ではありましたが日米関係《にちべいかんけい》の悪化《あっか》は緩和《かんわ》されたのです。

栄一《えいいち》は、中国《ちゅうごく》との友好関係《ゆうこうかんけい》にも尽力《じんりょく》しました。大正《たいしょう》三年《ねん》（一九一四）には、中華民国大総統《ちゅうかみんこくだいそうとう》袁世凱《えんせいがい》(2)と会見《かいけん》し、昭和《しょうわ》二年《ねん》（一九二七）には蔣介石《しょうかいせき》(3)を飛鳥山《あすかやま》の自宅《じたく》に招《まね》いています。これ

答礼人形の送別会（渋沢史料館）

（1）市松人形
着物の着せ替え人形。女児の遊び道具や裁縫の練習台としても使用された

らの実績《じっせき》により、栄一《えいいち》は昭和元年《しょうわがんねん》と二年《ねん》にノーベル平和賞《へいわしょう》の候《こう》補《ほ》にもあがりました。

9．栄一《えいいち》の最後《さいご》の志事《しごと》

昭和《しょうわ》五年《ねん》（一九三〇）冬《ふゆ》、九十歳《さい》になった栄一《えいいち》は、なおも貧《ひん》困問題《こんもんだい》に奔走《ほんそう》していましたが、風邪《かぜ》をこじらせ病床《びょうしょう》に伏《ふ》してしまいました。

そんな栄一《えいいち》に、二十数名《すうめい》ほどの救護法実施促進委員《きゅうごほうじっしすいしんいいん》会《かい》のメンバーが面会《めんかい》を求《もと》めてきました。主治医《しゅじい》は「絶《ぜっ》対《たい》に面会《めんかい》させるわけにはならない」と引《ひ》き止《と》めますが、栄一《えいいち》はその顔《かお》ぶれを聞《き》いて「どうしても会《あ》う！」ときません。主治医《しゅじい》は仕方《しかた》なく面会《めんかい》を許可《きょか》しました。

（2）袁世凱
一八五九〜一九一六　清朝末期の実力者。辛亥革命の後、中華民国大総統に就任

（3）蔣介石
一八八七〜一九七五。中華民国総統。孫文に師事し、革命軍を養成した国民政府主席

飛鳥山で蔣介石と会う（渋沢史料館）

促進委員会《そくしんいいんかい》のメンバーは「貧困《ひんこん》にあえぐ二十万人《にん》の救済《きゅうさい》をしたい。どうにかならないでしょうか」と栄一《えいいち》にお願《ねが》いしました。救護法《きゅうごほう》(1)が国会《こっかい》で成立《せいりつ》したにもかかわらず、予算《よさん》の問題《もんだい》で施行《しこう》されずにいたのです。

すると栄一《えいいち》は、すぐ大蔵省《おおくらしょう》に電話《でんわ》して、「お願《ねが》いがありますので、今《いま》からそちらに向《む》かいます」と言《い》うのです。

栄一《えいいち》の容体《ようだい》を知《し》っていた大蔵省《おおくらしょう》の役人《やくにん》は、「こちらから伺《うかが》いますと言《い》うのですが、栄一《えいいち》は「当方《とうほう》からのお願《ねが》いなので私《わたし》が出向《でむ》きます」と言《い》って譲《ゆず》りません。

「渋沢先生《しぶさわせんせい》！　外出《がいしゅつ》なんて許可《きょか》できません！」

主治医《しゅじい》は必死《ひっし》に食《く》い止《と》めますが、栄一《えいいち》は主治医《しゅじい》にこう言《い》ったのです。

「先生《せんせい》の骨折《ほねお》りで、この老《お》いぼれが養生《ようじょう》しているのは、せめて、

(1) 救護法
今で言う生活保護の事

こういう時《とき》の、お役《やく》に立《た》ちたいからなのです。もしも、これで私《わたし》が死《し》んだとしても、二十万人《にん》の不幸《ふこう》な人《ひと》が救《すく》われるならば、私《わたし》は本望《ほんもう》です‼」

昭和《しょうわ》七年《ねん》（一九三二）一月一日《がつついたち》、救護法《きゅうごほう》は実施《じっし》されました。

それは栄一《えいいち》が亡《な》くなった二カ月後《げつご》のことでした。

飛鳥山で、葬列を見送る人々（渋沢史料館）

昭和《しょうわ》六年《ねん》（一九三一）十一月《がつ》十一日《にち》、渋《しぶ》沢栄一《さわえいいち》、永眠《えいみん》。

日本国民《にほんこくみん》が悲《かな》しみに包《つつ》まれた日《ひ》でした。

自宅《じたく》の飛鳥山《あすかやま》から青山斎場《あおやまさいじょう》に向《む》かう沿道《えんどう》には二万人《にん》、そして、青山斎場《あおやまさいじょう》から埋葬《まいそう》された寛永寺《かんえいじ》までは四万人《にん》を超《こ》える人々《ひとびと》が栄一《えいいち》を偲《しの》んで見送《みおく》りました。

納棺《のうかん》された時《とき》、栄一《えいいち》の長女《ちょうじょ》、穂積歌子《ほづみうたこ》さ

んは「また一人《ひとり》、戦争《せんそう》を止《と》められる人《ひと》がいなくなった」と涙《なみだ》を流《なが》しました。

お通夜《つや》の夜《よる》には、栄一《えいいち》が生前使《せいぜんつか》っていた寝室《しんしつ》をめぐり、「私《わたし》が寝《ね》たい、私《わたし》が寝《ね》たい」と親戚一同《しんせきいちどう》が競《きそ》い合《あ》ったそうです。ご家族《かぞく》、親戚一同《しんせきいちどう》に慕《した》われていたエピソードの一《ひと》つです。

また、後半生《こうはんせい》をかけて守《まも》り続《つづ》けた養育院《よういくいん》からは、子《こ》どもたちから山《やま》のような手紙《てがみ》が届《とど》き、栄一《えいいち》の死《し》を悼《いた》んだのでした。

現代《げんだい》の株式会社《かぶしきがいしゃ》や社会事業団体《しゃかいじぎょうだんたい》の基礎《きそ》は、渋沢栄一《しぶさわえいいち》によってつくられたと言《い》っても過言《かごん》ではありません。栄一《えいいち》は、低《ひく》い身分《みぶん》の出身《しゅっしん》でしたが、子《こ》どもの頃《ころ》から学問《がくもん》に励《はげ》み、一生涯《いっしょうがい》を通《とお》して国家社会《こっかしゃかい》のために尽《つ》くそうとする志《こころざし》によって、数多《かずおお》くの事業《じぎょう》を成功《せいこう》させたのです。そこには、栄一《えいいち》が信条《しんじょう》とした「論語《ろんご》と算盤《そろばん》」（道徳《どうとく》と経済《けいざい》）[1]の精神《せいしん》があったのです。

（1）道徳と経済
正しい道理に基づいて得た利益（富）でなければ、国を豊かにすることはできない。常に経済は道徳といっしょでなければならないとすること

あとがき

「これでよかったのかな？」――。息《いき》を引《ひ》き取《と》る前《まえ》の意識《いしき》が混濁《こんだく》するなか、渋沢栄一《しぶさわえいいち》はボソリとこのように呟《つぶや》いたそうです。私《わたし》たちは「五百の企業《きぎょう》、六百の社会事業団体《しゃかいじぎょうだんたい》」という渋沢栄一《しぶさわえいいち》の設立《せつりつ》した事業《じぎょう》の数《かず》に着目《ちゃくもく》しがちになりますが、その数《かず》よりも、「あんたがうれしいだけじゃなくて、みんながうれしいのが一番《いちばん》なんだで」――この母《はは》の言葉《ことば》を胸《むね》に刻《きざ》み、九十一年《ねん》の人生《じんせい》を全《まっと》うした生《い》き方《かた》に、着目《ちゃくもく》すべきなのです。

陽明学《ようめいがく》（儒学《じゅがく》の一派《いっぱ》）に「知行合一《ちこうごういつ》」という言葉《ことば》があります。「知識《ちしき》と行動《こうどう》は一体《いったい》でなければならない」という意味《いみ》です。最期《さいご》の言葉《ことば》は、「成功《せいこう》」や「失敗《しっぱい》」ではなく、「自分《じぶん》は誠実《せいじつ》に努力《どりょく》してきたか」という、自《みずか》らの人生《じんせい》に対《たい》する問《と》いかけだったのではないでしょうか？

最後《さいご》に、渋沢栄一《しぶさわえいいち》の『論語《ろんご》と算盤《そろばん》』の中《なか》から私《わたし》の最《もっと》もお気《き》に入《い》りの文言《もんごん》を紹介《しょうかい》させて頂《いただ》きます。

《「成功《せいこう》」や「失敗《しっぱい》」の良《よ》し悪《あ》しを議論《ぎろん》するより、まずは「誠実《せいじつ》」に努力《どりょく》することだ。そうすれば、お天道《てんと》さまは、必《かなら》ずその人《ひと》に「幸福《こうふく》」を授《さず》け、運命《うんめい》を開《ひら》いてくれる。一時《いっとき》の「成功《せいこう》」や「失敗《しっぱい》」は、長《なが》い人生《じんせい》においては、カスのようなものなのです。「成功《せいこう》」が、人《ひと》として為《な》すべきことを果《は》たした結果《けっか》生《う》まれるカスにすぎない以上《いじょう》、気《き》にする必要《ひつよう》などまったくないのである。―― 渋沢栄一《しぶさわえいいち》》

●著者略歴
石田 學（いしだ　まなぶ）
昭和 46 年（1971）、群馬県伊勢崎市生まれ。白鴎大学経営学部を卒業後、会社員として勤務。その後、自分とは何か、人生の目的とは何かを思考するようになり、自らの志や道徳について探求する。令和 3 年（2021）、強い日本をつくるために青淵渋沢栄一翁顕彰会を発足。渋沢栄一の『論語と算盤』読書会、渋沢栄一研修 in 深谷を実施して、栄一翁の顕彰につとめている。
現在、青淵渋沢栄一翁顕彰会会長。ＮＰＯ法人ドリームサラリーマン代表。NIHONDO 師範。 ronsoro0213@gmail.com
https://www.shibusawaeiichi.com

特定非営利活動法人(NPO 法人)
まほろば教育事業団　http://mahoroba-ed.org
昭和 63 年より全国の大学教員や小中高教諭、経営者などの有志によって、小学校から大学生までを対象に教育事業を行っています。平成 17 年にはＮＰＯ法人を設立。和歌創作や素読、歴史研修等を通して日本人としての生き方を青少年に伝え、誇りをもって自らの使命を果たす若きリーダーの輩出を願い、教育事業を展開しています。

まほろばシリーズ⑪
道徳《どうとく》をもとに日本《にほん》の近代化《きんだいか》を進《すす》めた
渋《しぶ》沢《さわ》栄《えい》一《いち》

令和五年四月二十九日　初版第一刷発行

企　画　特定非営利活動法人まほろば教育事業団
著　者　石田 學
発行者　田尾憲男
発　行　株式会社明成社
〒一五〇−〇〇三一
東京都渋谷区桜丘町二十三番十七号
シティコート桜丘四〇八
電　話　〇三（六四一六）四七七二
ＦＡＸ　〇三（六四一六）四七七八
https://meiseisha.com
印刷所　モリモト印刷株式会社
乱丁・落丁は送料当方負担にてお取り替え致します。

ISBN978-4- 905410-71-3　C0023